Y0-AAG-871

Loreto Corvalán
Texto e ilustraciones

Mi mamá **no** es simpática

¡Mi mamá

no es simpática!

no me

deja...

comer lo que

me gusta...

ver la tele...

noooo

jugar con

mis peces...

y me

obliga

a...

a...

a...

pero ella…

me cuenta beee

ellos cuentos...

me regala

caramelos

me

lleva al parque...

mmmmm...

¡mi mamá es muy

simpática!

editorial@pehuen.cl
www.pehuen.cl

Inscripción Nº 197.950
ISBN 978-956-16-0511-4
Primera edición, diciembre 2010

Ilustración de portada
Loreto Corvalán

Traducción
Vincent Belbeze

Edición al cuidado de
Marcela López O.

Diseño y diagramación
Loreto Corvalán
Olaya Fernández A.

Impreso en los talleres de
Maval Ltda.

IMPRESO EN CHILE / PRINTED IN CHILE

Esta obra fue parcialmente financiada con el aporte del Consejo Nacional del Libro y la Lectura

Colofón

La presente edición de *Mi mamá no es simpática* fue impresa en papel couché opaco de ciento setenta gramos y la tipografía utilizada para la composición del texto fue Souvenir.

Luego de un largo viaje desde Bénouville en Normandía, aparece en Santiago de Chile en el mes de diciembre de dos mil diez, para todos aquellos que alguna vez nos hemos enojado con nuestra mamá.